ARBRES DES
ABEILLES

MA MAISON

TRONC D'ARBRE
CREUX

TIGROU

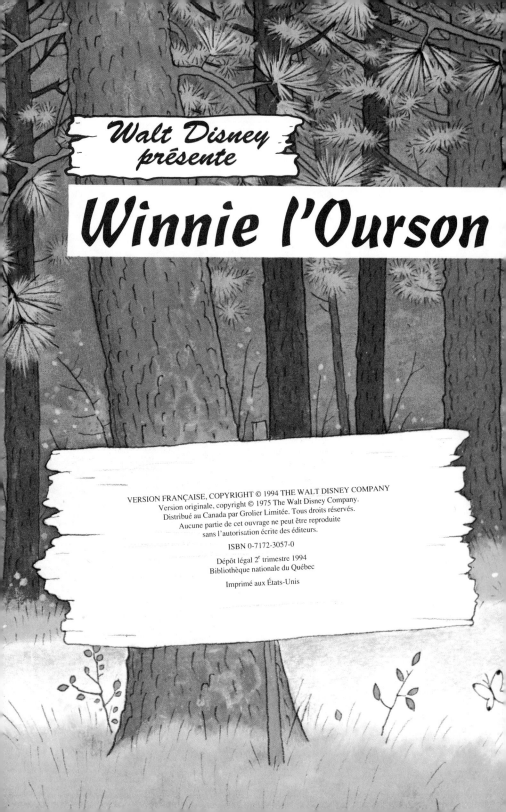

Walt Disney présente

Winnie l'Ourson

ISBN 0-7172-3057-0

Dépôt légal 2ᵉ trimestre 1994
Bibliothèque nationale du Québec

Imprimé aux États-Unis

et Tigrou

GROLIER LIMITÉE
Montréal

Un bon matin, Winnie l'Ourson
décida d'aller visiter son ami Porcinet.
Winnie était un ourson très gai. Tout
en traversant la forêt, il fredonnait une
chanson.

Winnie ne regardait pas où il allait, trop occupé qu'il était à admirer la nature.
Soudain —
quelqu'un bondit sur lui.

Winnie se retrouva étendu au sol.
Tigrou était debout sur son ventre.
«Salut, Winnie», dit Tigrou. «Quelle belle journée pour bondir, n'est-ce pas!»

Tigrou aida Winnie à se relever.

«Merci, Tigrou», dit Winnie. «Je pensais justement que c'était une belle journée pour aller visiter Porcinet.»

«Je m'en allais voir Coco Lapin, dit Tigrou, mais je vais t'accompagner chez Porcinet.»

Tigrou partit en bondissant.

Tigrou bondissait devant Winnie.
Il bondissait si vite...

et il bondissait si loin...

qu'il bondit directement sur Porcinet.

«Tigrou!» s'écria Porcinet. «Tu m'as fait peur.»

«Je suis désolé», dit Tigrou. Et il aida Porcinet à se relever.

«Maintenant, je m'en vais chez Coco Lapin», annonça Tigrou. «Winnie et toi pourriez m'accompagner.»

Et il repartit en bondissant.

Tigrou bondit dans le jardin de Coco Lapin.
Coco Lapin était en train de compter ses carottes.

Tout à coup, Tigrou bondit sur lui.
«Salut, Coco Lapin», dit Tigrou.
«Tigrou, tu n'es pas gentil!» cria Coco
Lapin.

Lorsque Winnie et Porcinet arrivèrent au jardin, ils aidèrent Coco Lapin à se relever.

Coco Lapin était furieux contre Tigrou.

«Pourquoi bondis-tu toujours ainsi?» cria-t-il.

«Bondir, c'est ce que je fais le mieux!»
répondit Tigrou, en bondissant et en fredonnant:

Être un Tigrou, c'est merveilleux.
Les Tigrous, c'est ce qu'il y a de mieux.
Leur tête est en caoutchouc.
Leur queue est remplie de ressorts.

Ils sont beaux, grands et forts.
Et ils aiment bondir partout.
Être un Tigrou, c'est merveilleux.
Un Tigrou comme moi, c'est encore mieux!

Quand Tigrou eut terminé sa chanson, le
jardin de Coco Lapin était ruiné.

Plus tard ce jour-là, Coco Lapin eut une idée géniale pour que Tigrou cesse de bondir.

Il en fit part à Winnie l'Ourson et Porcinet. «Nous allons l'amener en excursion dans la forêt et nous le laisserons là toute la nuit», dit Coco Lapin. «Quand nous irons le chercher le lendemain matin, Tigrou aura eu tellement peur qu'il ne bondira plus autant qu'avant.»

«C'est une excellente idée!» acquiesça Porcinet. «Qu'en penses-tu, Winnie?»
Mais Winnie était assis confortablement dans un fauteuil et il dormait.

Porcinet le réveilla.
«C'est une idée splendide», dit Winnie une fois mis au courant du plan de Coco Lapin.

Le lendemain matin, Coco Lapin, Winnie
l'Ourson et Porcinet emmenèrent Tigrou dans la
forêt.

«Quand nous reviendrons chercher Tigrou
demain, dit Coco Lapin, il ne bondira plus du tout.
Il sera un Tigrou triste! Un Tigrou repentant! Un
Tigrou heureux-de-voir-Coco-Lapin!»

Tigrou bondissait de plus en plus loin devant Coco Lapin, Winnie et Porcinet.

Il n'était pas au courant du plan de Coco Lapin.

Les trois amis trouvèrent un tronc d'arbre creux.
«Vite! Cachons-nous à l'intérieur!» dit Coco Lapin.

Tigrou revint bientôt sur ses pas pour les rejoindre.
«Coco Lapin, Winnie, Porcinet!» appela-t-il.
Personne ne répondit.

Tigrou grimpa sur le tronc d'arbre.
Il appela ses amis à nouveau.
Personne ne répondit.

«Ils doivent s'être perdus», pensa Tigrou.
Il partit à leur recherche en bondissant.

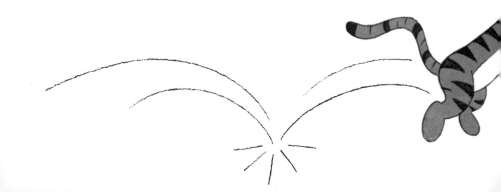

Lorsque Tigrou fut suffisamment loin, Coco Lapin, Winnie l'Ourson et Porcinet prirent le chemin du retour.

Après quelque temps, ils arrivèrent devant un trou dans le sol.

«Il y a quelque chose de louche», dit Porcinet. «Je suis sûr que nous sommes déjà passés par ici.»

«Impossible!» dit Coco Lapin. «Continuons.»

Quelques instants plus tard, ils se retrouvèrent devant le trou à nouveau.

«Je crois que nous sommes perdus», dit Winnie. «Nous cherchons le chemin pour rentrer chez nous, mais nous trouvons toujours ce trou. Si nous nous mettons à chercher ce trou, peut-être trouverons-nous le chemin pour rentrer chez nous.»

«Je suis sûr que je connais le chemin», dit Coco Lapin. «Attendez-moi ici, je vais le trouver.»

Winnie l'Ourson et Porcinet attendirent le retour de Coco Lapin.
Ils attendirent...

et attendirent...

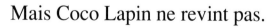

et attendirent.

Mais Coco Lapin ne revint pas.

Alors Winnie prit Porcinet par la main.

«Suivons mon ventre», dit-il. «Chaque
fois que j'ai envie de manger du miel, mon
ventre me conduit à la maison.»

Comme prévu, le ventre de Winnie trouva le
chemin.

Au moment où ils sortaient de la forêt, Tigrou
bondit sur eux.

«Oh, Tigrou!» dit Winnie. «Coco
Lapin est perdu dans la forêt.»

«Les Tigrous ne se perdent jamais»,
dit Tigrou. «Je vais aller le chercher.»
Il s'éloigna en bondissant.

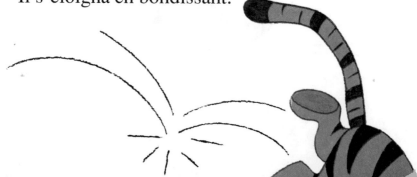

Pendant ce temps, Coco Lapin était seul dans les profondeurs de la forêt.

Il était vraiment perdu.

Chaque fois qu'il tournait la tête, il avait l'impression que quelqu'un l'observait.

Il entendait toutes sortes de bruits effrayants.

HOOT!

CHOMP!

Coco Lapin entendit
alors quelqu'un
approcher.
«Au secours,
Winnie! Au
secours, Porcinet!»
cria Coco Lapin.

Soudain, quelqu'un bondit sur lui et le
fit tomber au sol.

«Tigrou!» s'écria Coco Lapin. «Ce
que je suis content de te voir!»

Tigrou conduisit Coco Lapin hors de la forêt.

Pauvre Coco Lapin! Son plan génial pour que Tigrou cesse de bondir avait échoué.

Tôt le lendemain matin, Tigrou se rendit chez Maman Gourou et Petit Gourou.

Maman Gourou était en train de balayer.

«Puis-je emmener Petit Gourou en promenade avec moi?» demanda Tigrou.

«Bien sûr!» répondit Maman Gourou.

Tigrou partit en bondissant, Petit Gourou fermement agrippé à son cou.

«Est-ce que les Tigrous savent grimper aux arbres?» demanda Petit Gourou.

«C'est ce que les Tigrous savent le mieux faire», répondit Tigrou. «Je vais te montrer.»

Tigrou trouva un grand
arbre et bondit de
branche en branche.

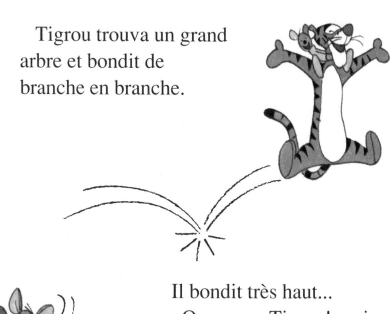

Il bondit très haut...
«Oo-o-o-o, Tigrou!» cria
Petit Gourou.

Tigrou bondit plus haut...

«Oo-o-o-o, Tigrou!» cria
Petit Gourou.

Tigrou bondissait de plus
en plus haut.
   Bientôt, ils atteignirent
presque le sommet de l'arbre.

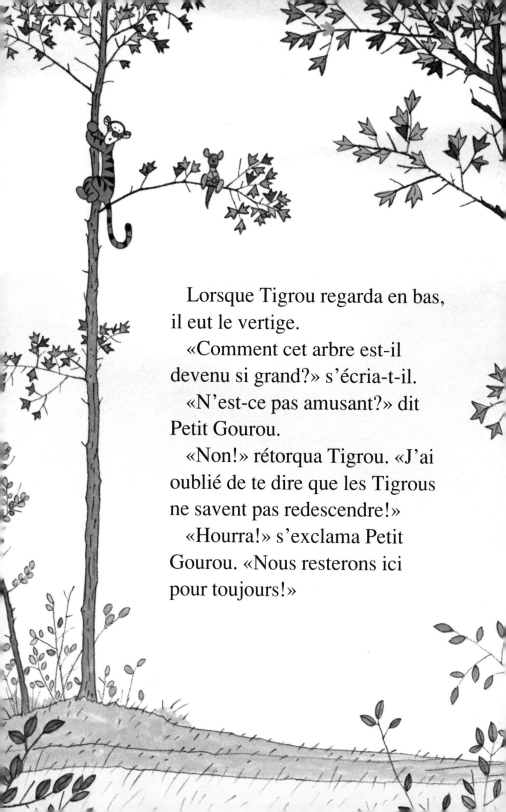

Lorsque Tigrou regarda en bas, il eut le vertige.

«Comment cet arbre est-il devenu si grand?» s'écria-t-il.

«N'est-ce pas amusant?» dit Petit Gourou.

«Non!» rétorqua Tigrou. «J'ai oublié de te dire que les Tigrous ne savent pas redescendre!»

«Hourra!» s'exclama Petit Gourou. «Nous resterons ici pour toujours!»

À ce moment, Winnie l'Ourson et Porcinet passèrent par là, admirant le beau ciel bleu.

«Porcinet, murmura Winnie, je vois un *jag-u-lar*!»

«Est-ce que les *jagulars* sont des animaux féroces?» demanda Porcinet.

«Je ne suis pas certain», répondit Winnie. «Allons voir de plus près.»

En arrivant près de l'arbre, Winnie et Porcinet virent Tigrou et Petit Gourou perchés près du sommet.

«Allô-ô-ô!» cria Petit Gourou. «Tigrou ne peut plus redescendre!»

«Ne t'en fais pas, Tigrou», dit Winnie. «Nous allons demander l'aide de Jean-Christophe. Il trouvera un moyen de te sortir de là.»

Ils revinrent bientôt en compagnie de Jean-Christophe, Maman Gourou et Coco Lapin.

«J'espère que Tigrou aura eu sa leçon», dit Coco Lapin. «Il va peut-être arrêter de bondir partout maintenant!»

Jean-Christophe enleva son manteau et dit à chacun d'eux d'en tenir un coin pour que Petit Gourou saute dedans.

Petit Gourou se laissa tomber dans le manteau tendu, puis Jean-Christophe appela Tigrou.

«À toi maintenant, Tigrou!» dit-il.

«Les Tigrous ne sautent pas, ils bondissent», répondit Tigrou. «Mais si je parviens à descendre d'ici, je promets que je ne bondirai plus jamais!»

«Avez-vous entendu ça?» s'écria Coco Lapin. «Il a promis d'arrêter de bondir!»

Tigrou ferma les yeux et se laissa
tomber dans le vide.

Il atterrit sur le manteau à une telle vitesse
que tout le monde fut renversé.

Tigrou était si content d'être au sol
qu'il se mit à bondir de joie.

Mais Coco Lapin l'arrêta aussitôt.

«Ça suffit les bonds, Tigrou», dit-il. «Tu as promis que tu ne bondirais plus jamais.»

«C'est vrai», répondit Tigrou. «J'ai promis.»

Tigrou s'éloigna en marchant.
Sans ses bonds, il était un
Tigrou vraiment très triste.

Petit Gourou regardait son ami triste.

«J'aime mieux le bon vieux Tigrou qui bondit», dit-il.

«Moi aussi», renchérit Maman Gourou.

«Et moi aussi», dirent Winnie et Porcinet, en chœur.

Ils se tournèrent tous vers Coco Lapin.

«Bon, commença Coco Lapin, moi aussi... je pense.»

Tigrou revint aussitôt en bondissant.
«Le penses-tu vraiment, Coco Lapin?»
demanda-t-il. «Je peux continuer à bondir?»
«Oui», répondit Coco Lapin. «Je le pense
vraiment.»

«Hourra!» s'écria Tigrou.

Et il s'éloigna en bondissant,
heureux d'être à nouveau le bon
vieux Tigrou qui bondit.

AIRE DE PIQUE-NIQUE

PORCINET

MAISON DE
COCO LAPIN

ENDROIT OÙ JOUE
PETIT GOUROU

MAISON DE L...
FAMILLE GOU...

MAISON DE WINNIE L'OURSON

FORÊT DES 100   AC

ENDROIT
MARÉCAGEUX